Le voyage en famille

Texte français d'Isabelle Allard

Catalogage avant publication de Bibliothèque et Archives Canada

Titre: Le voyage en famille / texte français d'Isabelle Allard.
Autres titres: Family trip. Français | Peppa Pig (Émission de télévision)
Noms: Astley, Neville. | Baker, Mark, 1959-
Collections: Peppa Pig (Scholastic (Firme))
Description: Mention de collection: Peppa Pig | Traduction de : Family trip. | Peppa Pig est une création de Neville Astley et Mark Baker.
Identifiants: Canadiana 20190225025 | ISBN 9781443181433 (couverture souple)
Classification: LCC PZ23 .V69 2020 | CDD j823/.92—dc23

Cette édition est publiée en accord avec Entertainment One.
Ce livre est basé sur la série télévisée *Peppa Pig*.
Peppa Pig est une création de Neville Astley et Mark Baker.

Édition publiée par les Éditions Scholastic,
604, rue King Ouest, Toronto (Ontario) M5V 1E1 CANADA.

5 4 3 2 1 Imprimé en Malaisie 108 20 21 22 23 24

Conception graphique : Jessica Meltzer

Peppa et sa famille partent en voyage. Maman Cochon fait les bagages.

— Es-tu certaine qu'il faut emporter tout ça? demande Papa Cochon.

— Oui! répond Maman Cochon. Tous ces objets sont très importants!

M. Taureau emmène Peppa, George, Maman Cochon et Papa Cochon à l'aéroport, dans son taxi.

Mlle Lapin enregistre leurs bagages.

Puis c'est le moment de l'embarquement.

— Avion! Zouuum! s'écrie George.

L'avion décolle et monte de plus en plus haut. Il traverse les nuages.

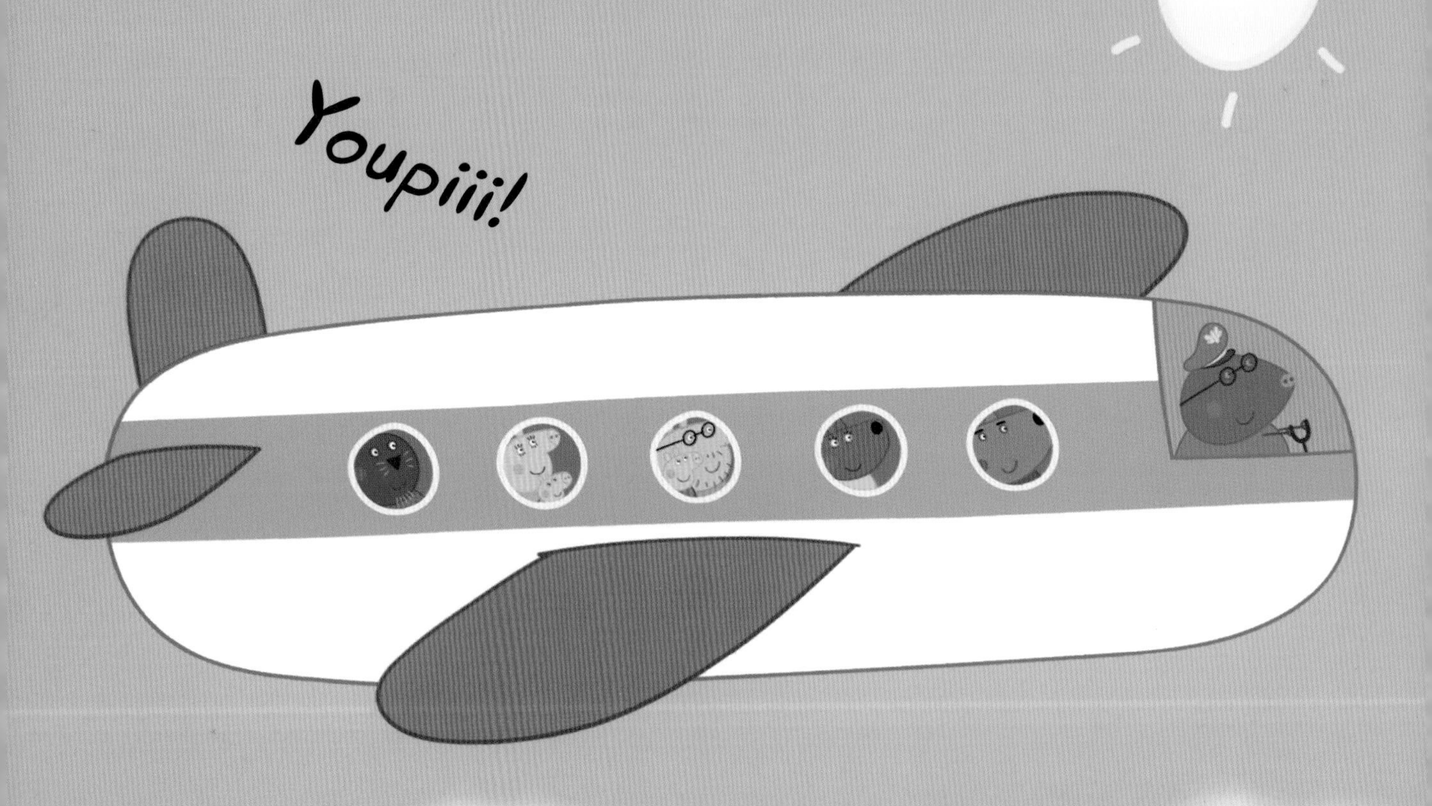

Peu de temps après, le pilote annonce :

— Nous allons bientôt atterrir en Italie.

Mlle Lapin, qui est aussi l'agente de bord, déclare :

— Attachez vos ceintures, s'il vous plaît!

Après avoir atterri en Italie, ils vont chercher leur voiture de location. Lorsqu'ils sont sur la route, ils découvrent que leur système de navigation GPS parle seulement en italien!

— Pourquoi tous ces gens klaxonnent-ils en nous voyant? demande Peppa.

— Je crois que c'est pour nous dire bonjour, répond Maman Cochon.

Soudain, Peppa se souvient de quelque chose d'important...

— Nounours! J'ai oublié Nounours dans l'avion!

Oh non! Un policier à moto fait signe à Papa Cochon de s'arrêter.

— Bonjour, monsieur l'agent, dit Papa Cochon d'un ton nerveux.

Pin-pon! Pin-pon!

— Bonjour, dit le policier en ouvrant son sac. Je vous rapporte cet ourson.

— Nounours! s'écrie Peppa.

En arrivant à destination, Maman Cochon propose d'aller visiter les environs.

Gabriella Chèvre, leur nouvelle amie, fait visiter son joli village à la famille.

Maman Cochon achète
beaucoup de souvenirs.
Il faudra une autre valise!

L'oncle de Gabriella explique à Peppa et à George comment faire de la pizza.

— Un peu de tomate... un peu de fromage... dit Oncle Bouc.

— La pizza va au four...
puis dans mon ventre! s’écrie
Peppa. J’adore la pizza!

— Quel voyage merveilleux! dit Maman Cochon pendant que Papa Cochon conduit la famille jusqu'à la maison qu'ils ont louée.

Oh non! Papa Cochon se fait de nouveau arrêter.

— Monsieur Cochon, dit le policier en ouvrant son sac. Votre nounours.

— Nounours! s'écrie Peppa.

Après quelques jours, il est temps de rentrer.

— Au revoir! disent Peppa et sa famille à Gabriella Chèvre et à son oncle.

— Quel beau voyage! s'exclame Papa Cochon.

— Oui, je n'ai jamais été aussi détendue, ajoute Maman Cochon.

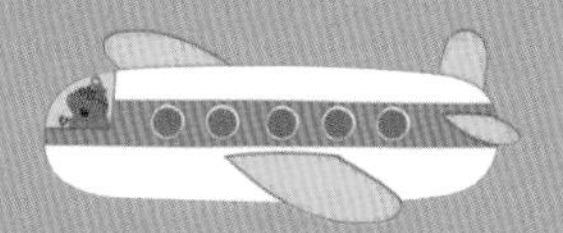

Oh non! Papa Cochon se fait arrêter une troisième fois par le policier!

— Monsieur Cochon, vous devriez mieux vous occuper de cet ourson, dit le policier.

— Nounours! s'écrie Peppa en le serrant contre elle. On rentre chez nous aujourd'hui!

Quand Peppa arrive à la maison, Suzy Mouton l'attend.

— Il a plu pendant votre absence, dit Suzy.

— Youpi! s'exclame Peppa. Les voyages en famille sont amusants, mais revenir à la maison pour jouer dans les flaques, c'est encore mieux!

Peppa pense que Nounours est heureux d'être rentré, lui aussi.